★ ★ ★ ★ ★

我为爸爸找回信心

据［法］克利斯提昂·约里波瓦同名绘本动画片改编
郑迪蔚／编译

不一样的卡梅拉

二十一世纪出版社集团
21st Century Publishing Group

下蛋，下蛋，总是下蛋！

生活中肯定有比下蛋更好玩的事情！

我要帮爸爸重拾信心……

清晨，天灰蒙蒙的，墨色的乌云层层叠叠地堆积在鸡舍的上空，让人压抑得喘不过气来，正如皮迪克此时的心情，他迈着沉重的步伐登上草垛，并没有像往常一样高歌，似乎在犹豫什么。

“好熟悉的乌云，”皮迪克仰望着天空想，“如果这次也呼唤不出太阳怎么办？这么多年了，在唤醒太阳这个岗位职责上，我从没有失败过，除了上一次，唉……上一次我喊了一个月也没见到太阳，这次会不会……”

小鸡们在下面等了半天，也没听到皮迪克嘹亮的声音。

“爸爸怎么不出声？”卡梅利多奇怪地说。

“他是哑了吗？”大嗓门嘲笑道。

“这次我会不会没唤醒太阳，反而引来闪电？”

“或者被狂风吹倒？”

想到可能发生的事情，让皮迪克顿时毫无信心，他一声不吭地走下草垛。

“爸爸，你怎么了？”卡门焦急地问。

“哦，我头晕，我……不舒服。”

“大伙儿都看到了吧？皮迪克已经没用了。”小胖墩讽刺道。

“是啊，他都不敢出声！”小刺头跟着附和。

皮迪克听到大伙的议论，无奈地再次站上草垛，可是还没等他张口，天上下起了瓢泼大雨。

“皮迪克把暴风雨喊来了！”痘痘妹喊道。

“胡说！我爸爸还没出声呢！”卡门反驳。

只见一道闪电，劈翻了屋顶的瓦片。

“快逃命啊！皮迪克把闪电招来了！”

“快点进屋！”

卡梅利多催促着小鸡们跑回屋里。

“太可怕了！我们的房子会不会被吹翻啊？”

“都怪他，喊来了狂风！我再也不想听到皮迪克的声音了！”

皮迪克耷拉着鸡冠走进屋，完全没有了往日的雄风，他恨不得自己变得非常渺小，小到大家都看不见。

“太阳去哪儿了呢？没有它，不光爸爸，连我们都打不起精神来。我们必须像上一次那样找到太阳，再把它带回农场。”

“你说得对，卡门。我不能眼看着爸爸失去信心！还从没见过他这么胆怯的样子。”

“找到了！这儿有一棵向日葵！”
“有了太阳探测器
就不愁找不到太阳，
是吧，贝里奥？”

“淋着雨走吗？我的羊毛会打卷的！”

“今天情况紧急！顾不上羊毛了，贝里奥！我们必须马上找到太阳！卡门，把向日葵给我。”

三个小伙伴冒雨继续前进。

“我走不动了，我要在雨里睡觉。”

贝里奥心疼地摸摸自己的羊毛，“我不喜欢走路，更不喜欢淋雨，我要睡在温暖的窝里……”

“加油，贝里奥！如果明天我们找不回太阳，爸爸不仅地位不保，而且可能再也振作不起来了。”

卡梅利多继续激励贝里奥：“回来我们就吃奇普奶酪庆祝！”

“快看！探测器显灵啦。”

忽然，向日葵疯狂地朝四周摇摆，最终指向东方。

“它找到目标了。”卡梅利多兴奋地指向前方的一点亮光，“就是那里，我们上次去过的大磨坊！”

“这就是蒙特哥菲尔兄弟的大磨坊！卡门，还记得小鸭子柯尔贝吗？第一次是他带着我们找到太阳的。”

三个好朋友回忆起柯尔贝在雨中唱歌的样子，不禁笑了起来。

“卡梅利多，那你还记得蒙特哥菲尔兄弟把太阳藏在哪儿吗？”卡门问。

“当然！跟我来！”卡梅利多率先跑过小桥。

“我不想见那两个发明狂人……”贝里奥还有些迟疑，“喂，等等我！”

“哇，太阳还是那么漂亮！”
哇！
好美！
“用力拉紧！
拴紧一点！”

“进屋吧，约瑟夫，明天天一放晴就试飞。”

“这次可不能再被偷走了！”

“我好像看到什么东西跑过去了，你没看见吗，埃蒂安？”约瑟夫揉揉眼，“难道是我太敏感了？”

贝里奥为了让约瑟夫不再存疑，学了一声猫叫：“喵！”

“干得好，贝里奥。我们今天晚上就把‘太阳’请回家。”卡门笑着眨眨眼。

“看哪！是他们绑架了太阳！”卡梅利多愤愤地说，“害得爸爸一蹶不振。”

“你脑子进水了吗，卡梅利多？好好看看，它就是个大气球！”

卡门接着说，“我们已经用它带给大家一个惊喜，这次是为了给爸爸找回信心！”

“约瑟夫，进屋睡觉吧。明天的事弄得你神经太紧张了。”埃蒂安在屋里喊道。

“也许吧，我真的预感有事要发生……”

“我们把它带回去给爸爸，一定能让他重新振作！贝里奥，你把风！卡门，你去挡住门！”

三个小伙伴等约瑟夫一上楼就开始行动……

“这下就安全了，嘻嘻！”卡门悄悄跑到小楼，将门拴上。

“怎么总是我来把风！”贝里奥紧张地四处张望。卡梅利多迅速地开始解绳子：“搞定一根！”

蒙特哥菲尔兄弟听到动静，打开窗户一看："埃蒂安，他们要偷气球。"

"住手！"

住手！

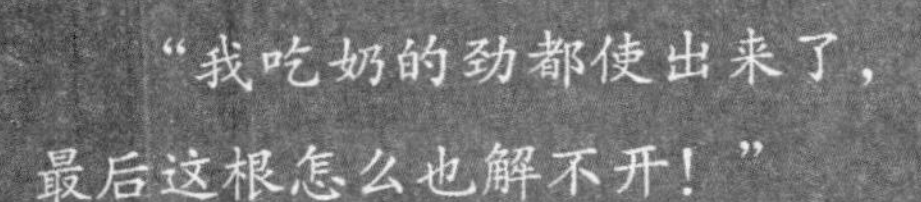

"我吃奶的劲都使出来了，最后这根怎么也解不开！"

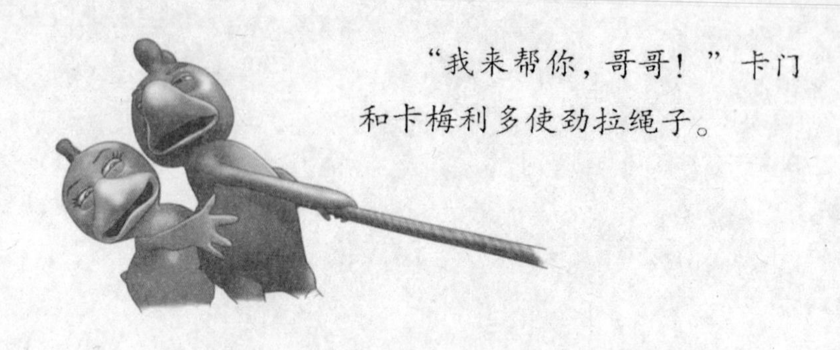

“我来帮你，哥哥！”卡门和卡梅利多使劲拉绳子。

约瑟夫转身就往外跑，这才发现门被反锁了。“开门！我们被锁住了！”

“我一定要阻止他们！绝不能让他们偷走气球！”

“快来帮忙！约瑟夫！”埃蒂安使劲撞门。

蒙特哥菲尔兄弟总算将大门撞开了。

“哎哟！约瑟夫，你压到我的腰了！”

卡梅利多还剩下最后一根绳子没有解开：“拴得真紧，怎么办？”

卡门急中生智，冲着贝里奥大喊：“该你上场了！我们需要你的羊角！”

“明白！瞧我的！”

贝里奥准备助跑……

“全部搞定！快跳进
篮子里，卡门！”
“我晕！这是在
哪儿啊？”

啪！
“冲啊！无敌羊角！”
“贝里奥，赶快跳进来，
气球要飞了！”

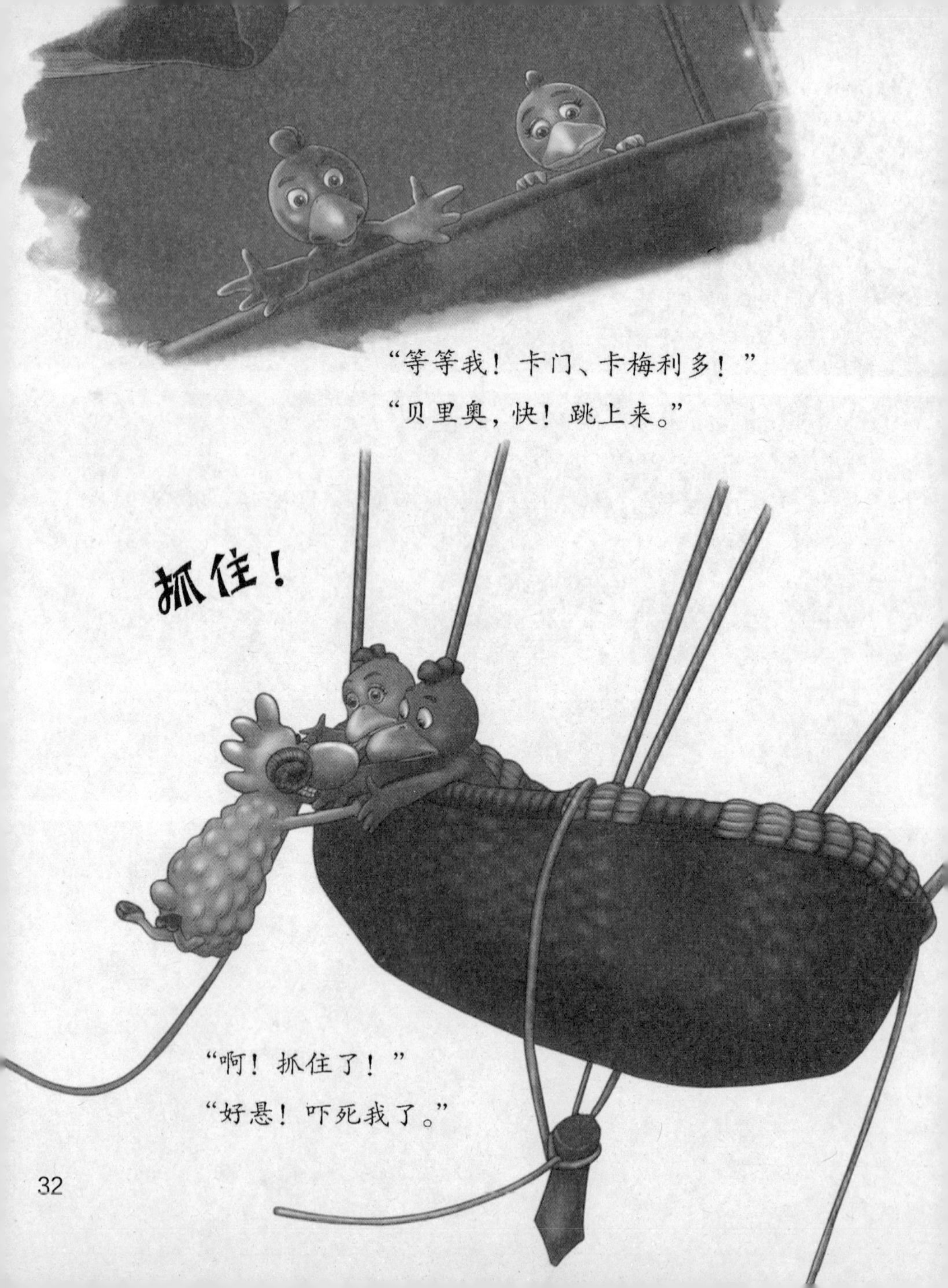

“等等我！卡门、卡梅利多！”

“贝里奥，快！跳上来。”

“啊！抓住了！”

“好悬！吓死我了。”

“放心，我们暂时借用一下。”卡梅利多对蒙特哥菲尔兄弟喊道，“我保证，帮爸爸找回信心之后，马上就把气球给你们送回来！”

蒙特哥菲尔兄弟无奈地看着热气球飞起来。

“哦不！还是上次那两只鸡和羊。”

“希望他们能爱护气球……”

第二天，天还没亮，小公鸡们抢先聚集在大树下。

“今天谁将顶替皮迪克的位置，去草垛上唤醒太阳？”

“……当然是我！我是最强壮的！”大嗓门自问自答。

“这不公平！谁来唤醒太阳不能是你说了算，要投票表决，谁票数多谁就上去！”小刺头建议。

“也不仔细想想，大嗓门的乌鸦嗓充其量也就能叫醒只小鸡。”痘痘妹悄悄地说。

“哈哈，可不是。”

“乌鸦嗓?！你是在说我吗，痘痘妹？听着，不想满脸长包的话，建议你投我一票！”

“你别以为自己有什么了不起，小胖墩！敢跟我作对，绝没有好果子吃！”

“那就投你呗……”

卡梅拉听到屋外小鸡们的争吵，担忧地对公鸡爷爷说：“皮迪克的低沉情绪太令我难受了，他受过一次打击，再遇到这种情况，难免有心理障碍，但如果任由他们夺权，就更麻烦了……”

“平静些，卡梅拉，别忘了我也是只公鸡，虽然退休了，我没准能暂时代替皮迪克，直到他的状态恢复正常，能重新唤醒太阳。”

“嘿，连爷爷都想取代皮迪克？其实，也不赖呀，怎么说他也是老一辈，有经验。这样一来，大嗓门就站不上草垛了！”小鸡们围在下面窃窃私语。

“唉，他真不应该上去！太阳也有感冒要休息的时候……”鸬鹚佩罗忧虑地看着草垛上的老朋友。

天空中突然打了两道闪电，公鸡爷爷一不小心没站稳摔了下来。

“再见啦，爷爷！”小刺头不禁有些幸灾乐祸。

“现在轮到我了！”大嗓门迫不及待地就要往草垛上爬。

这时，皮迪克缓慢地走出鸡舍……

“加油啊，今天太阳一定能听到你的呼唤……”卡梅拉默默地祈祷。

“别得意，大嗓门，我是不会允许你站上草垛的！”

“想打架吗？小胖墩！”

皮迪克站上草垛仰望天空：“太阳啊，我多少次对你高歌，每一次都唤来你的笑脸。但为什么？为什么你要对我生气？这将是我职业生涯中的最后一次了吗？”

皮迪克使尽全身的力气高歌……

突然，一缕明亮的阳光将乌云拉开……

一个漂亮的大气球出现在天边……

“太阳出来了！”小鸡们欢呼着。

“真的！是孩子们……把太阳带回来了！”

“爸爸，这是我们送给你的礼物！”

“全世界只有一只公鸡能叫醒太阳，是我爸爸！”

我的天哪！第一次搭乘蒙特哥菲尔兄弟热气球飞行的三个旅客原来是一只公鸡、一只鸭子和一头绵羊。不过，那头绵羊可不是贝里奥哦。

造纸商蒙特哥菲尔兄弟发明热气球的灵感源于一次偶然的发现。他们在焚烧废纸时，受到纸灰在火炉中不断升起的启发，发明了加热空气后腾空而起的热气球。

1783 年 6 月 4 日，蒙特哥菲尔兄弟在巴黎凡尔赛宫前的里昂安诺内广场，为国王、王后、大臣及 13 万巴黎市民进行了热气球的升空表演。这个圆周 110 英尺的气球用糊纸的布制成，布的接缝用扣子扣住。蒙特哥菲尔兄弟用稻草和木材在气球下面点火，气球慢慢升了起来，飞行了 1.5 英里。

约瑟夫—米歇尔·蒙特哥菲尔
（Joseph-Michel Montgolfier，1740 年—1810 年）
雅克—埃蒂安·蒙特哥菲尔
（Jacques-Étienne Montgolfier，1745 年—1799 年）

不一样的卡梅拉

·畅销2700万册·

来自法国的小鸡——卡梅拉家族，每个成员都是那样的与众不同，有关他们的故事在孩子们中掀起了一股阅读热潮，成为最受孩子们喜爱的桥梁书，创造了童书市场不败的销售记录。“不一样的卡梅拉”作为一种象征，成为孩子们成长路上必不可少的伴侣！

读《不一样的卡梅拉》
成就与众不同的你

《不一样的卡梅拉》

第2季、第3季、第4季

《不一样的卡梅拉》第 2、3、4 季的故事更加天马行空、充满想象力。小伙伴们遇到了大科学家富兰克林、探险家马可波罗、法国玛丽皇后、伟大的音乐家莫扎特、大文豪莎士比亚……小读者们跟随着卡梅拉和她的孩子们的梦想长大。每一个冒险故事都与历史、典故、传说巧妙地交织在一起，将文化注入孩子的灵魂，让孩子在美的熏陶中完成对经典的解读。

《不一样的卡梅拉》第 2 季、第 3 季、第 4 季

1.《我的北极大冒险》
2.《我要逃出皇家农场》
3.《我的魔法咒语》
4.《我发现了爷爷的秘密》
5.《我的鸡舍保卫战》
6.《我想学骑自行车》
7.《我梦游到仙境》
8.《我遇到了埃及法老》
9.《我的本命年任务》
10.《我要找回钥匙》
11.《我创造了名画》
12.《我的个人演唱会》
13.《我学会了功夫》
14.《我坐上小飞毯》
15.《我不要撒谎》
16.《我的马拉松战役》
17.《我要炼出黄金》
18.《我想去放烟花》
19.《我的催眠树根》
20.《我讨厌小红帽》
21.《我不怕打雷》
22.《我是罗密欧》
23.《我是大明星》
24.《我许下三个愿望》
25.《我给巨人做饭》
26.《我遇到猫国王子》
27.《我的胆子变大了》
28.《我是侠盗罗宾汉》
29.《我救了怪鸡弗斯坦》
30.《我为爸爸找回信心》
31.《我能预言未来》
32.《我下了个金鸡蛋》

不一样的卡梅拉

不一样的卡梅拉 第1季

1.《我想去看海》
2.《我想有颗星星》
3.《我想有个弟弟》
4.《我去找回太阳》
5.《我爱小黑猫》
6.《我能打败怪兽》
7.《我要找到朗朗》
8.《我不要被吃掉》
9.《我好喜欢她》
10.《我要救出贝里奥》
11.《我不是胆小鬼》
12.《我爱平底锅》
13.《我唤醒了睡美人》

不一样的卡梅拉 第2季

1.《我的北极大冒险》
2.《我要逃出皇家农场》
3.《我的魔法咒语》
4.《我发现了爷爷的秘密》
5.《我的鸡舍保卫战》
6.《我想学骑自行车》
7.《我梦游到仙境》
8.《我遇到了埃及法老》
9.《我的本命年任务》
10.《我要找回钥匙》
11.《我创造了名画》
12.《我的个人演唱会》

不一样的卡梅拉 第3季

13.《我学会了功夫》
14.《我坐上小飞毯》
15.《我不要撒谎》
16.《我的马拉松战役》
17.《我要炼出黄金》
18.《我想去放烟花》
19.《我的催眠树根》
20.《我讨厌小红帽》
21.《我不怕打雷》
22.《我是罗密欧》

不一样的卡梅拉 第4季

23.《我是大明星》
24.《我许下三个愿望》
25.《我给巨人做饭》
26.《我遇到猫国王子》
27.《我的胆子变大了》
28.《我是侠盗罗宾汉》
29.《我救了怪鸡弗斯坦》
30.《我为爸爸找回信心》
31.《我能预言未来》
32.《我下了个金鸡蛋》

据［法］克利斯提昂·约里波瓦同名绘本动画片改编

图书在版编目（CIP）数据

我为爸爸找回信心 / (法) 约里波瓦文 ;
(法) 艾利施图 ; 郑迪蔚编译.
-- 南昌 : 二十一世纪出版社集团, 2015.12
（不一样的卡梅拉动漫绘本 ; 30）
ISBN 978-7-5568-1504-3

Ⅰ. ①我… Ⅱ. ①约… ②艾… ③郑…
Ⅲ. ①动画－连环画－法国－现代
Ⅳ. ①J238.7

中国版本图书馆CIP数据核字(2015)第296681号

版权合同登记号 14-2012-443
赣版权登字—04—2015—941

我为爸爸找回信心 郑迪蔚 / 编译

总 策 划 张秋林
策　　划 奥苗文化 郑迪蔚
责任编辑 黄 震 陈静瑶
制　　作 黄 瑾
出版发行 二十一世纪出版社集团 | 向极熊
www.21cccc.com cc21@163.net
出 版 人 张秋林
印　　刷 江西华奥印务有限责任公司
版　　次 2016年1月第1版 2016年1月第1次印刷
开　　本 800mm × 1250mm 1/32 印 张 1.5
书　　号 ISBN 978-7-5568-1504-3
定　　价 10.00元

本社地址：江西省南昌市子安路75号 330009（如发现印装质量问题，请寄本社图书发行公司调换 0791-86512056）